Cynnwys

Ar y fferm

Mae defaid, ieir a gwartheg yn byw ar fferm.
Hefyd mae anifeiliaid eraill fel pysgod ac
estrysod yn byw ar fferm.

Mae ffermwyr yn cadw anifeiliaid i gael llaeth,
wyau, cig, crwyn, plu neu wlân.

Pobl a ffermydd

Dros y byd i gyd, mae pobl yn adeiladu ffermydd i gadw eu hanifeiliaid yn agos.

Amser maith yn ôl, roedd anifeiliaid yn byw'n wyllt. Roedd pobl yn eu hela nhw i gael cig.

Yna, dysgodd pobl i gadw'r anifeiliaid roedden nhw wedi'u hela.

Gwelon nhw fod wyau, gwlân a llaeth anifeiliaid yn ddefnyddiol hefyd.

Heddiw, mae rhai anifeiliaid fferm yn byw mewn cwt.

Mae rhai eraill yn byw mewn caeau agored.

Mae ffermwyr yn tyfu gwair i'r defaid a'r gwartheg ei fwyta.

Amser bwydo

Dydy anifeiliaid fferm ddim yn gallu dod o hyd i bethau i'w bwyta bob amser. Mae'r ffermwr yn rhoi rhagor o fwyd a diod iddyn nhw.

Mae'r ffermwr yn rhoi gwair i'r defaid pan fydd eira dros y borfa.

Mae cywion bach yn cael grawn a dŵr mewn pedyll.

Ar ôl wythnos, maen nhw'n dysgu bwyta'r grawn o borthwr.

Maen nhw'n cael dŵr drwy fwrw eu pigau ar ffynnon.

Mae porfa yn anodd ei fwyta. Mae gwartheg yn ei lyncu unwaith, yna maen nhw'n ei gael 'nôl yn eu cegau i'w gnoi eto. Cnoi cil yw'r enw ar hyn.

Ar ransh

Fferm sydd â llawer o dir yw ransh. Ar ransh wartheg, maen nhw'n magu stoc i gael cig.

Yn y gwanwyn, mae'r gwartheg yn cael eu gyrru i'r bryniau. Mae llawer o borfa yno.

Cyn y gaeaf oer, mae'r ranshwyr yn casglu'r gwartheg ac yn eu gyrru 'nôl i'r fferm.

Ar ransh fawr iawn, mae hofrennydd yn casglu'r gwartheg.

Mae sŵn yr injan yn gwneud i'r gwartheg symud ymlaen.

Er mwyn dal anifail, mae ranshwr yn taflu lasŵ dros ei gyrn.

9

Dodwy wyau

Mae pob iâr yn dodwy wyau ond dim ond rhai wyau sy'n deor yn gywion bach.

Mae rhai ffermwyr yn cadw ieir i gael wyau.

Bob dydd mae wyau ffres yn cael eu casglu a'u gwerthu.

Cyn i wy ddeor yn gyw bach, mae'n rhaid i geiliog gyplu â iâr.

Ceiliog yw'r enw ar iâr wrywaidd.

1. Ar ôl i'r ceiliog a'r iâr gyplu, mae'r iâr yn gwneud nyth.

2. Mae hi'n dodwy wyau ac yn gori arnyn nhw i'w cadw'n gynnes.

3. Mae hi'n troi'r wyau â'i phig a'i thraed.

4. Ar ôl 21 diwrnod mae cyw yn deor o bob wy.

Ieir maes yw'r enw ar ieir sy'n cael rhedeg o gwmpas y tu allan.

Godro

Yn aml, mae ffermwyr yn cadw gwartheg, geifr a defaid i gael llaeth neu lefrith.

Sawl diwrnod ar ôl i fuwch gael llo, mae hi'n cael ei godro gyda'r gwartheg eraill.

Mae peiriant godro'n cael ei roi wrth dethau'r fuwch. Mae'r llaeth yn mynd i danc.

Ddwywaith y dydd mae'r ffermwr yn godro. Mae tancer llaeth yn dod i gasglu'r llaeth.

Mae llawer o ffermwyr yn godro â llaw. Maen nhw'n gwasgu teth ac mae'r llefrith yn tasgu i bowlen.

Mae rhai ffermwyr yn chwarae cerddoriaeth wrth odro defaid, ac maen nhw'n rhoi mwy o lefrith.

Cneifio

Does dim angen cotiau gwlân trwchus ar ddefaid yn yr haf. Mae'r ffermwyr yn eu cneifio ac yn defnyddio'r gwlân i wneud dillad a blancedi.

Mae cŵn defaid yn helpu ffermwyr i gasglu defaid.

Mae rhai ffermwyr yn chwibanu i ddweud wrth y cŵn defaid beth i'w wneud.

Mae'r defaid yn cael eu gyrru i loc.

Mae'r gwlân yn cael ei gneifio'n un darn.

Yna mae'r ddafad yn mynd nôl i'r cae.

Mae Alpacas yn cael eu cadw ar ffermydd hefyd. Mae eu gwlân nhw'n feddal iawn.

Dyma Alpacas sydd newydd gael eu cneifio.

Moch a moch bach

Mae moch yn aml yn fwdlyd, ond maen nhw'n cadw eu cwt yn sych ac yn lân.

Maen nhw'n chwilio am fwyd ar y llawr. Mae ffermwyr yn rhoi pelenni bwyd iddyn nhw.

I gadw'n oer, maen nhw'n rholio mewn mwd. Yna maen nhw'n gadael i'r mwd sychu.

16

Mae moch yn dda iawn am arogli. Maen nhw'n gallu cael eu dysgu i ddod o hyd i fadarch prin.

Hwch yw'r enw ar fam mochyn. Mae hi'n gallu geni hyd at 14 mochyn bach ar y tro.

Ŵyn bach a lloi

Pan fydd anifail fferm yn cael ei eni, y fam sy'n gofalu amdano. Gall ffermwr helpu weithiau.

Mae ffermwr yn helpu dafad i eni.

Mae'r fam yn codi ac yn llyfu'r oen.

Wedyn mae'r oen yn sefyll ar ei draed.

Mae'r ffermwr yn rhoi paent ar yr oen i ddangos i ba ddafad mae'n perthyn.

Teth

Un llo mae buwch yn ei gael fel arfer.
Mae'r llo'n sugno llaeth o deth ei fam.

Mae'r oen bach yn gwybod pwy yw ei fam
wrth ei chlywed yn brefu.

Hwyaid a gwyddau

Mae ffermwyr yn cadw hwyaid a gwyddau
i gael wyau, plu a chig.

Mae'r ffermwr hwn
yn mynd â'i hwyaid
i'r farchnad i'w
gwerthu.

Mae gwyddau'n byw mewn grŵp sy'n cael ei alw'n haid.

Dydy rhai gwyddau a hwyaid ddim yn dda am gadw wyau'n gynnes tan y byddan nhw'n deor.

Mae ffermwr yn mynd ag wy newydd ei ddodwy o nyth gŵydd.

Mae hi'n ei roi yn nyth yr iâr iddi hi fedru gori arnyn nhw.

Ffermydd tanddwr

Weithiau mae pysgod yn cael eu cadw ar fferm. Mae ffermwyr eog yn magu eogiaid mewn tanciau dŵr croyw cyn eu symud i fferm yn y môr.

Mae'r pysgod yn byw mewn llociau rhwyd mawr. Rhwng y llociau mae llwybr yn arnofio.

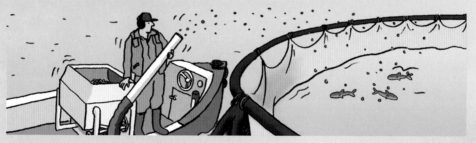

Mae'r ffermwr yn dod i'r fferm eogiaid ar gwch. Mae'n chwistrellu pelenni bwyd i'r llociau.

Mae perlau'n cael eu tyfu mewn pysgod cregyn o'r enw wystrys.

Mae deifiwr yn gofalu am y llociau.

Mae'n chwilio am dyllau a physgod marw.

Ar ôl 18 mis yn y llociau, mae'r eogiaid yn ddigon mawr i gael eu dal a'u gwerthu.

Adar mawr

Mae ffermwyr yn magu estrys i gael wyau, croen a chig. Mae eu plu'n cael eu defnyddio i wneud dillad a hetiau smart.

Maen nhw'n byw mewn caeau mawr i gael digon o le i redeg.

Mae'n rhaid rhoi
mwgwd am ben
estrys i'w symud.

Mae'r tywyllwch yn
ei dawelu.

Mae cywion estrys yn byw gyda'i gilydd
mewn lloc. Mae'r ffermwr yn rhoi pelenni
bwyd iddyn nhw.

Gall un wy estrys wneud omlet digon
mawr i fwydo 12 o bobl.

Eira a thywod

Dim ond ambell anifail fferm sy'n byw mewn mannau oer iawn neu boeth iawn.

Mewn rhai gwledydd oer, mae ffermwyr yn cadw ceirw i gael cig, llaeth a chroen.

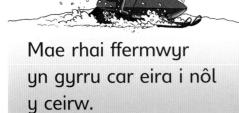

Mae rhai ffermwyr yn gyrru car eira i nôl y ceirw.

Mewn anialwch
poeth, mae ffermwyr
yn gwersylla lle mae
bwyd i'r anifeiliaid.

Pan na fydd bwyd
ar ôl, mae'r ffermwyr
yn symud yr
anifeiliaid i fan arall.

Nomadiaid yw'r enw ar ffermwyr sy'n teithio
gyda'u hanifeiliaid.

Ffermydd crocodeil

Mae ffermwyr yn magu crocodeilod i gael croen yn bennaf, ond hefyd i gael cig.

Mae'n rhaid i grocodeilod fyw mewn lle poeth gyda dŵr.

Mae ambell grocodeil yr un hyd â thri dyn tal yn gorwedd yn rhes.

1. Mae crocodeil yn creu nyth â'i thraed.

2. Mae'n dodwy tua 50 wy yn y nyth.

3. Mae'r ffermwr yn rhoi'r wyau mewn deorydd cynnes.

4. Ar ôl 80 niwrnod, mae crocodeilod bach yn deor o'r wyau.

Geirfa'r fferm

Dyma rai o'r geiriau yn y llyfr hwn sy'n newydd i ti, efallai. Mae'r dudalen hon yn rhoi ystyr y geiriau i ti.

 gwair – glaswellt neu borfa wedi sychu. Bydd gwartheg a'r defaid yn cael gwair yn y gaeaf.

 magu – cadw anifeiliaid a'u rhai bach a gofalu amdanyn nhw.

 gwartheg – gair am fuchod a theirw. Da yw'r gair yn ne Cymru.

 teth – dyma lle mae'r llaeth neu'r llefrith yn dod allan o fuwch, dafad, camel neu afr.

 cneifio – torri cnu neu wlân dafad, alpaca neu anifail arall.

 nomadiaid – ffermwyr sy'n teithio gyda'u hanifeiliaid i ddod o hyd i fwyd.

 deorydd – bocs cynnes i gadw wyau tan y byddan nhw'n deor.

Gwefannau diddorol

Mae llawer o wefannau cyffrous i ddysgu rhagor am anifeiliaid fferm.

I ymweld â'r gwefannau hyn, cer i **www.usborne-quicklinks.com**. Darllena ganllawiau diogelwch y Rhyngrwyd, ac yna teipia'r geiriau allweddol **"beginners farm"**.

Caiff y gwefannau hyn eu hadolygu'n gyson a chaiff y dolenni yn 'Usborne Quicklinks' eu diweddaru. Fodd bynnag, nid yw Usborne Publishing yn gyfrifol, ac nid yw chwaith yn derbyn atebolrwydd, am gynnwys neu argaeledd unrhyw wefan ac eithrio'i wefan ei hun. Rydym yn argymell i chi oruchwylio plant pan fyddant ar y Rhyngrwyd.

Mae'r llo 'Highland' hwn yn byw ym mynyddoedd yr Alban. Mae ei got drwchus yn ei warchod rhag y tywydd oer, gwyntog.

Mynegai

Cydnabyddiaeth

Cynllun y clawr: Michelle Lawrence a Zoe Wray
Trin ffotograffau: John Russell a Emma Julings

Cydnabyddiaeth lluniau

Mae'r cyhoeddwyr yn ddiolchgar i'r canlynol am ganiatâd i atgynhyrchu deunydd:

© **Alamy Images** (Robert Harding Picture Library Ltd) 20, (Jan Baks) 25; © **Alvey & Towers** 2-3; © **Bruce Coleman** (Jens Rydell) 28-29; © **CORBIS** (Elmar Krenkel/zefa) I, (David R. Stoecklein) 8-9; (Don Mason) 10, (Bernard a Catherine Desjeux) 13 & 27, (Charles Philip) 14, (Dave G. Houser) 15, (George McCarthy) 16, (Tom Stewart) 17, (Niall Benvie) 31; © **Digital Vision** 1, 21; © **FLPA (Foto Natura Stock)** 22-23; © **Getty Images** (Harvey Lloyd) 24, (Wayner R Bilenduke) 26; © **NNPA** (Joe Blossom) clawr; © **Peter Dean**, Agripicture.com 4-5, 6, 18; **Stephen St. John, National Geographic Image Collection** 19

Gyda diolch i

Susan Smith yn fferm estrys White House, fferm crocodeilod Hartley's Creek

Cyhoeddwyd gyntaf yn 2003 gan Usborne Publishing Ltd., Usborne House, 83-85 Saffron Hill, London ECIN 8RT.
Cyhoeddwyd gyntaf yng Nghymru yn 2013 gan Wasg Gomer, Llandysul, Ceredigion SA44 4JL.
www.gomer.co.uk
Cedwir pob hawl. Argraffwyd yn China.